Collection
PROFIL PRATIQUE
dirigée par Georges Décote

Série
PROFIL 100 EXERCICES
sous la direction de Georges Décote
et Adeline Lesot

MIEUX RÉDIGER

- **CONSTRUIRE SES PHRASES**
- **SIMPLIFIER SON EXPRESSION**
- **PRATIQUER DES EXERCICES DE RÉÉCRITURE**

100 EXERCICES AVEC CORRIGÉS

CLAUDE MORHANGE-BÉGUÉ
docteur ès Lettres

Sommaire

I. Construire ses phrases

II. Éviter les mots inutiles

III. Employer le mot juste

IV. Supprimer les ambiguïtés

ISBN 978-2-218-7 115 6-5

V. Simplifier son expression

1 LES ERREURS DE CONSTRUCTION (1)

• **Ne dites pas :**

— *Je suis allée et revenue de Lille dans la même journée.*

• **Dites :**

— *Je suis allée **à** Lille et j'**en** suis revenue dans la même journée.*

Quand deux verbes se construisent avec des prépositions **différentes,** on ne doit pas les faire suivre d'un **seul complément commun.**

• **Le complément** doit suivre le premier verbe.

• **Ce même complément** doit être repris, après le second verbe, sous la forme d'un pronom ou d'un équivalent introduit par la préposition qui convient.

• **Ne dites pas :**

— *Tu as essayé et tu es parvenu à gagner.*

• **Dites :**

— *Tu as essayé **de** gagner et tu es parvenu **à le faire,** (ou) et tu **y** es parvenu.*

EXERCICES

1 *Récrivez les phrases suivantes de façon correcte.*

— *Zola nous raconte et fait prendre conscience de la condition des mineurs.*

→ *Zola nous raconte la condition des mineurs et il nous **en** fait prendre conscience.*

1. Ils souhaitent et parviendront à progresser.

→ ....

....

2. Il aime et est encouragé par les bons résultats.

→ ....

....

3. Nous attendions impatiemment et nous avons été déçus par sa pièce.

→ ....

....

4. Il désire et à la fois se refuse à la voir.

→ ....

....

5. Elle espère avoir et compte vraiment sur une place sur le podium.

→ ....

....

6. De nos jours, de plus en plus de gens possèdent et se servent d'une voiture.

→ ....

....

7. Ce journal critique et lutte contre les excès de notre temps.

→ ....

....

---

2 *Même exercice.*

1. L'auteur met en scène et se moque d'un parvenu.

→ ....

....

2. Elles apprennent et parviendront sûrement à escalader ce pic.

→ ....

....

3. Ils le font pour ressembler et agir comme les autres.

→ ....

....

4. Il désire et envisage d'être délégué.

→ ....

....

5. Combien de fois êtes-vous venus et êtes-vous repartis de Rome !

→ ....

....

6. Il veut dénoncer et se révolter contre les injustices.

→ ....

....

---

3 *Indiquez si les phrases suivantes sont correctes (**C**) ou incorrectes (**I**). Corrigez quand c'est nécessaire.*

— *J'aime et je recommande ce livre.*
*(**C**) → Les deux verbes se construisent avec un complément d'objet direct.*

1. Je redoute et me méfie de cet homme.

→ ....

....

2. Savez-vous et êtes-vous en mesure de tailler les arbres ?

→ ....

....

3. Je m'intéresse et regarde cette émission toutes les semaines.

→ ....

....

4. Ils m'ont suggéré et m'ont même priée de n'en rien dire.

→ ....

....

5. Tous souhaitent interrompre et mettre fin à la guerre.

→ ....

....

2 Les erreurs de construction (2)

- **Ne dites pas :**

— *L'intérêt de la lecture vient de la façon dont on comprend les situations et comment on s'imagine les personnages.*

- **Dites :**

— *L'intérêt de la lecture vient* ***de la façon dont*** *on comprend les situations et* ***dont*** *on s'imagine les personnages.*

■ **On ne doit pas coordonner** deux propositions ou deux compléments de nature **différente**, comme une interrogation indirecte et une interrogation directe, un groupe nominal et une proposition interrogative.

→ Une conjonction de coordination ***(et, ou, ni)*** ne peut **relier** que des propositions et des compléments de **même nature.**

- **Ne dites pas :**

— *On se demande si l'équipe dominera les Anglais ou fera-t-elle match nul.*

- **Dites :**

— *On se demande* ***si*** *l'équipe dominera les Anglais ou* ***si*** *elle fera match nul.*

Exercices

4 *Récrivez correctement les propositions soulignées.*

— *Je ne sais ni son nom ni* ***quel âge il a****.*

→ *Je ne sais ni son nom* ***ni son âge.***

1. Chez ce cinéaste, j'apprécie la manière de cerner les personnages et comment il filme les extérieurs.

→ ....

2. On se demande si ce conflit prendra fin et quand cela pourra-t-il se faire.

‣ ....

3. Méfions-nous de leur manière de détourner la vérité et comment ils ne présentent que les faits qui les avantagent.

‣ ....

4. Il cherche le moyen d'améliorer sa situation et s'il pourra s'en sortir.

‣ ....

---

5 *Indiquez si les phrases suivantes sont correctes* ***(C)*** *ou incorrectes* ***(I),*** *et corrigez quand il le faut.*

— *Ce texte montre la verve satirique de l'auteur et* **comme il écrit bien.**

‣ ***(I) son talent d'écrivain.***

1. N'oublions pas la manière dont il structure ses textes ni la façon dont il fascine ses lecteurs.

‣ ....

2. Il examine les défauts de son personnage et comme il est ridicule.

‣ ....

3. J'aime chez les chats leur façon de savoir tout ce qui se passe et la manière dont il font semblant de ne s'intéresser à rien.

‣ ....

4. Il est difficile de s'imaginer le deuxième millénaire et quels seront les progrès techniques.

‣ ....

5. L'intérêt de la pièce est la manière dont l'action se déroule et comment l'auteur ne laisse aucun détail inutile.

‣ ....

6 *Même exercice.*

1. On ne peut évaluer le sérieux de cette enquête ni son influence.

→ ....

2. De là vient le succès de cette œuvre et comme elle suscite de l'intérêt.

→ ....

3. Cette étude montre la raison d'être de cette recherche et son utilité.

→ ....

4. On peut s'interroger sur le bien-fondé de cette affirmation et sur sa justesse.

→ ....

7 *Même exercice.*

1. On ignore la date da sa naissance et quelle était la profession de son père.

→ ....

2. Je suis sensible à sa manière d'écrire et comment il invente des situations originales.

→ ....

3. Il faudrait savoir si vous viendrez seuls ou faudra-t-il aller vous chercher.

→ ....

4. Reste à déterminer s'il était inconscient ou l'a-t-il fait exprès.

→ ....

3 LES RUPTURES DE CONSTRUCTION

- **Ne dites pas :**

— *La télévision, même si elle diffuse de bons programmes, ils sont généralement tard.*

- **Dites :**

— *Même si la télévision diffuse de bons programmes, ils sont généralement tard.*

À l'écrit, **on doit éviter** les phrases segmentées et les ruptures de construction. Il est recommandé de respecter l'ordre standard des mots et des propositions dans la phrase.

- **Ne dites pas :**

— *L'école, les enfants aiment y aller.*

- **Dites :**

— *Les enfants aiment aller à l'école.*

EXERCICES

8 *Récrivez les phrases suivantes en supprimant les segmentations.*

— *On se demande, les parents, quelle est la réponse qu'ils doivent donner.*

→ ***On se demande quelle est la réponse que les parents doivent donner.***

1. Ma mère, ses courses, elle les fait dans les grandes surfaces.

→ ....

....

2. Ils n'ont jamais pensé, les promoteurs, que les autoroutes attireraient autant de voitures.

→ ....

....

3. Mon frère, son vélo qui est dans la cour, il est bel et bien cassé.

→ ....

....

4. La fête, les gens, j'ai l'impression qu'ils ne savent plus la faire.

→ ....

....

---

9 *Même exercice.*

1. On ne sait toujours pas, les vacances, quand elles vont commencer.

→ ....

....

2. Le voisin, sa voiture, elles est toute neuve.

→ ....

....

3. Mon ami, même s'il ne pouvait pas se libérer, je partirais en vacances.

→ ....

....

---

10 *Même exercice.*

1. Mon grand-père, les voitures miniatures, il les collectionne.

→ ....

....

2. Je ne sais pas, les cerises, si elles sont déjà mûres.

→ ....

....

3. Sylvain, son permis de conduire, est-ce qu'il l'a eu ?

→ ....

....

4 Les mots inutiles : verbes de restriction suivis de l'adverbe « seulement »

- **Ne dites pas :**

— *Il s'est **borné seulement** à lui écrire.*

- **Dites :**

— *Il s'est **borné à** lui écrire.*

→ Le sens de ***seulement*** fait ici **double emploi** avec celui du verbe.

Après : *se borner à, se contenter de, s'en tenir à, se résumer à, se limiter à, se réduire à, se restreindre à, ne faire que, se cantonner dans,* et en général tous les verbes qui expriment une restriction, il est **déconseillé d'employer** l'adverbe ***seulement.***

- **Ne dites pas :**

— *Leur amitié **se résume seulement** à une correspondance.*

- **Dites :**

— *Leur amitié **se résume à** une correspondance.*

Exercices

11 *Récrivez correctement les phrases suivantes.*

— *Nous nous sommes* **limités à seulement** *une sortie par semaine.*

→ *Nous nous sommes **limités à** une sortie par semaine.*

1. Vous bornez-vous seulement à cela ?

→ ....

....

2. Elles se cantonnent seulement dans ce qu'elles maîtrisent bien.

→ ....

....

3. Nous ne ferons seulement que ce que nous avons déjà fait.

→ ....

....

4. Restreignez-vous seulement aux premiers chapitres de ce livre.

→ ....

....

5. Il ne faut pas vous limiter seulement à ce que vous connaissez.

→ ....

....

---

12 *Même exercice.*

1. Tu te satisfais seulement de très peu d'efforts.

→ ....

....

2. Tout cet enthousiasme s'est réduit seulement à presque rien.

→ ....

....

3. Un livre ne se résume pas seulement à une suite de chapitres.

→ ....

....

4. Leur activité se réduit seulement à peu de choses.

→ ....

....

5. Cette salle est réservée seulement à ceux qui veulent travailler.

→ ....

....

13 *Indiquez si les phrases suivantes sont correctes (**C**) ou incorrectes (**I**), et corrigez quand il le faut.*

— *Elle l'a seulement commencé aujourd'hui.* (**C**)
Ce grand rêve s'est **réduit seulement à** *néant.*
*(**I**) → Ce grand rêve s'est* ***réduit à*** *néant.*

1. Restreignez-vous seulement à ce que vous savez faire !
→ ....
2. Essayez de vous en tenir seulement à ce qui vous semble juste.
→ ....
3. Dites-moi seulement ce que vous souhaitez dire.
→ ....
4. Ne te borne pas seulement à ce que je te suggère !
→ ....
5. Vous devriez seulement vous limiter à l'essentiel.
→ ....

14 *Même exercice.*

1. Garde seulement celles dont tu as envie !
→ ....
2. Elles se sont contentées seulement d'une vie étriquée.
→ ....
3. Il faudrait seulement un tout petit effort pour réussir.
→ ....
4. Je me souviens seulement qu'il a beaucoup plu cet été-là.
→ ....
5. Sil se cantonnait seulement dans son entraînement !
→ ....

5 LES MOTS INUTILES : VERBES D'ÉTAT SUIVIS DE L'ADVERBE « COMME » OU D'UN AUTRE VERBE D'ÉTAT

- **Ne dites pas :**

— *Il me **semble être** joyeux. Il **paraît comme** un individu malade.*

- **Dites :**

— *Il me **semble** joyeux. Il **paraît** malade.*

Un verbe d'état tel que : *sembler, paraître, se trouver*, **se suffit à lui-même**. Il est donc inutile de le faire suivre d'un deuxième **verbe d'état** ou de **comme**.

EXERCICES

15 *Récrivez les phrases suivantes en supprimant les mots inutiles.*

— *Tu me* **parais être** *fatiguée* .→ ***Tu me parais fatiguée.***

1. Vous avez l'air d'être très en forme.

→ ....

2. Il me semble être mal à l'aise ici.

→ ....

3. Elle apparaît comme étant ravie.

→ ....

4. La situation s'avère être pleine de pièges.

→ ....

16 *Même exercice.*

1. Le jardin paraît être en pleine floraison.

→ ....

2. La conjoncture apparaît comme étant ambiguë.

→ ....

3. Le ciel semble être menaçant.

→ ....

4. Tu parais comme hésitante.

→ ....

5. Ils se montrent comme responsables.

→ ....

---

17 *Indiquez si les phrases suivantes sont correctes* ***(C)*** *ou incorrectes* ***(I)****, et corrigez quand c'est nécessaire.*

— *Le temps* **paraît comme étant** *instable.*
→ ***(I) Le temps paraît instable.***

1. Les framboises apparaissent comme mûres.

→ ....

2. Ton pull semble être sec.

→ ....

3. Elle paraît satisfaite.

→ ....

4. Ils ont l'air d'être épuisés.

→ ....

---

18 *Même exercice.*

1. Vous vous êtes montré comme étant responsable.

→ ....

2. Tu te trouves incertain sur la marche à suivre.

→ ....

3. Elle paraît comme déterminée.

→ ....

4. Ils semblent heureux.

→ ....

6 LES MOTS INUTILES : L'EMPLOI DE FAIRE EN SORTE DE, DE PAR, COMME QUOI

• **Ne dites pas** :

— *Essaie* ***de faire en sorte de*** *venir à notre fête.*
De par *son père, il est breton.*
Sa décision ***comme quoi*** *il abandonne la compétition.*

• **Dites** :

— ***Essaie de*** *venir à notre fête.*
Par *son père, il est breton.*
Sa décision ***d'abandonner*** *la compétition.*

■ Certaines tournures ou expressions **alourdissent** les phrases sans **rien ajouter** à leur sens. Éliminer ces formes parasites permet d'être plus clair et donc mieux compris.

EXERCICES

19 *Récrivez les phrases suivantes en supprimant les mots inutiles.*

— *Il a expliqué* **comme quoi** *il était arrivé en retard à cause des transports.*
→ *Il a expliqué* **qu'***il était arrivé...*

1. Ce livre est intéressant de par son sujet.
→ ....

2. Il a fait une demande comme quoi il avait besoin d'une bourse.
→ ....

3. Elle m'a informée comme quoi elle ne reviendrait pas.
→ ....

4. N'es-tu pas auvergnate de par ta mère ?
→ ....

5. Ta décision comme quoi tu vas recommencer me paraît bonne.

→ ....

---

20 *Même exercice.*

1. Ce film m'a plu de par la beauté de ses images.

→ ....

2. Tâche de faire en sorte de rentrer tôt ce soir.

→ ....

3. Il a raconté comme quoi il s'était perdu.

→ ....

4. C'est le meilleur de par la qualité de son travail.

→ ....

5. Ils ont décidé comme quoi ils se réuniront tous les mois.

→ ....

---

21 *Indiquez si les phrases suivantes sont correctes (**C**) ou incorrectes (**I**), et corrigez quand il le faut.*

— *Cet ouvrage est difficile **de par** sa complexité.*
→ *(**I**) Cet ouvrage est difficile **par** sa complexité.*

1. On a décrété comme quoi il y aurait des restrictions d'eau.

→ ....

2. Ce présentateur me plaît de par sa simplicité.

→ ....

3. Je m'efforcerai de faire en sorte que mes parents soient contents.

→ ....

4. La forêt est remarquable par la variété de ses espèces.

→ ....

5. Son désir comme quoi il veut voyager demande réflexion.

→ ....

7 LES MOTS INUTILES : LES PLÉONASMES
PRÉVOIR, PRÉVENIR D'AVANCE...

- **Ne dites pas :**

— *Il l'avait* ***prévu d'avance.***

- **Dites :**

— *Il l'avait* ***prévu.***

■ ***D'avance*** est ici **superflu** puisque le verbe ***prévoir*** signifie déjà : *prévoir d'avance* ; c'est donc un **pléonasme.**

→ Il faut éviter d'employer ensemble deux mots de même sens car l'un et l'autre font alors double emploi.

EXERCICES

22 *Récrivez les phrases suivantes en supprimant les mots inutiles.*

— *Il préfère* **plutôt** *marcher.* → ***Il préfère marcher.***

1. On m'a prévenu d'avance que la spectacle n'aurait pas lieu.

→ ....

2. Les cubes sont juxtaposés les uns à coté des autres.

→ ....

3. Je préférerais plutôt que tu viennes demain.

→ ....

4. Il faut s'entraider les uns et les autres en ces temps difficiles.

→ ....

5. Tu avais prévu d'avance ce qui s'est passé.

→ ....

23 *Même exercice.*

1. Remettez-vous de nouveau au travail !

→ ....

2. Compare ensemble ces deux photographies.

→ ....

3. Commencez d'abord par vous taire !

→ ....

4. Il avait préparé à l'avance son discours.

→ ....

24 *Même exercice.*

1. Ne me dites pas qu'on ne vous a pas prévenu avant !

→ ....

2. Dépêchez-vous vite de terminer vos exercices.

→ ....

3. L'orage a fini enfin par éclater.

→ ....

4. L'acteur exagère trop ses mimiques.

→ ....

5. Il suffirait seulement que tu le veuilles bien.

→ ....

8 LES MOTS INUTILES : LES PLÉONASMES
FAIRE MONTRER, IMPOSSIBLE DE POUVOIR...

• **Ne dites pas :**

— *L'auteur nous* ***fait montrer*** *comment on vivait au siècle dernier.*

• **Dites :**

— *L'auteur nous* ***montre*** *comment on vivait au siècle dernier.*

Faire est ici **superflu** puisque le verbe ***montrer*** signifie déjà : *faire voir.*

• **Ne dites pas :**

— *Il est* ***impossible de pouvoir*** *s'y retrouver.*

• **Dites :**

— *Il est* ***impossible*** *de s'y retrouver.*

Pouvoir est ici **superflu** puisque l'expression ***il est impossible*** signifie déjà : *ne pas pouvoir.*

EXERCICES

25 *Récrivez les phrases suivantes en supprimant les mots inutiles.*

— *Il est* **possible de pouvoir** *gravir le Mont-Blanc.*
→ *Il est* ***possible de gravir*** *le Mont-Blanc.*

1. Ça m'a fait rappeler que j'avais oublié d'acheter le journal.
→ ....

2. Il est impossible de pouvoir retrouver ce que j'ai perdu.
→ ....

3. Ce film fait montrer l'ambiguïté des sentiments.
→ ....

4. La possibilité de pouvoir recommencer est une chance .

→ ....

5. Le visage de ma sœur me fait rappeler celui de ma mère.

→ ....

---

26 *Même exercice.*

1. Il est impossible de pouvoir fumer dans le métro.

→ ....

2. Fais-moi montrer comment tu t'y prends.

→ ....

3. Il est encore possible de pouvoir trouver un magasin ouvert le soir.

→ ....

4. Ils nous ont fait communiquer leur adresse de vacances.

→ ....

5. Ce sera impossible de pouvoir finir le livre pour la rentrée.

→ ....

6. Vous nous ferez montrer tous les petits villages de la côte.

→ ....

7. J'aimerais réussir à pouvoir battre mon propre record.

→ ....

9 Les prépositions : des, avec, pour, en, dans, de

- **Ne dites pas :**

— *Mes goûts sont différents **aux** tiens.*
*Mon emploi du temps est compatible **au** sien.*
*Êtes-vous d'accord **de** réessayer ?*
*Votre travail consistera **à** ceci.*
*Rapprochons ce texte **à** celui d'Apollinaire.*

- **Dites :**

— *Mes goûts sont différents **des** tiens.*
*Mon emploi du temps est compatible **avec** le sien.*
*Êtes-vous d'accord **pour** réessayer ?*
*Votre travail consistera **en** ceci*
*(ou : **dans** l'accueil des participants).*
*Rapprochons ce texte **de** celui d'Apollinaire.*

■ Ces prépositions sont les **seules** que l'on puisse employer **avec les adjectifs** et **les verbes cités**.

→ Dans le cas du verbe ***consister,*** on emploie ***dans*** devant l'article défini, ***en*** dans les autres cas.

Exercices

27 *Remplacez les pointillés par la préposition qui convient.*

— *Leurs activités sont très différentes* **des** *nôtres.*

1. Il faut rapprocher son œuvre ....celle de ses prédécesseurs.
2. Son originalité consiste .... son traitement du décor.
3. Ton imprimante n'est pas compatible .... mon ordinateur.
4. Serais-tu d'accord .... essayer une nouvelle méthode.

28 *Même exercice.*

1. Elle était d'accord .... traduire ce texte.

2. Ce point de vue paraît compatible .... le vôtre.
3. Il faut rapprocher Scapin .... autres valets de comédie.
4. Votre tâche consistera .... le tri des informations.
5. Le bonheur consiste .... le retour à la tranquillité.

---

29 *Indiquez si les phrases suivantes sont correctes (**C**) ou incorrectes (**I**), et corrigez quand il le faut.*

— *Il est d'accord* **de** *recommencer. (**I**)* → ***pour***

1. Le spectacle consiste en une série de sketches.
→ ....
2. Ton attitude n'est pas compatible à tes principes.
→ ....
3. Seriez-vous d'accord pour voir ce spectacle ?
→ ....
4. Rapproche tes actes à tes paroles.
→ ....

---

30 *Même exercice.*

1. Nous serons d'accord de recommencer.
→ ....
2. Vous êtes différent de l'image que j'avais de vous.
→ ....
3. Sa conduite consiste en une succession d'incohérences.
→ ....
4. Rapprochons son œuvre de celles de ses contemporains.
→ ....
5. Mon point de vue est-il compatible avec le vôtre ?
→ ....

10 LE PRONOM DÉMONSTRATIF : SON EMPLOI

- **Ne dites pas :**

— *Les habitants des villes comme **de** la campagne.*

- **Dites :**

— *Les habitants des villes comme **ceux** de la campagne.*

Quand un même nom gouverne deux compléments de nom, il est conseillé d'employer un pronom démonstratif tel que : ***celui, celle (s), ceux***, avant le deuxième complément de nom pour assurer le parallélisme.

EXERCICES

31 *Remplacez les pointillés par le pronom qui convient.*

— *La vie d'aujourd'hui comme* **celle** *d'autrefois.*

1. Les émissions du soir après .... du matin.
2. Les employés de la mairie aussi bien que .... de la poste.
3. Les produits du travail comme................ de l'héritage.
4. Le talent de l'auteur et.................. de tous les acteurs.
5. L'oubli des dates et .... des lieux.
6. L'impatience de l'enfant et .... de l'adolescent.

32 *Même exercice.*

1. L'anticipation du succès plutôt que................ de l'échec.
2. Les résultats de l'effort comme .... de la chance.
3. Les émerveillements de l'enfant autant que................ de l'adulte.
4. Les exploits des sportifs comme................ des forts en thème.

5. La lecture du journal comme .... d'un roman.
6. L'audition de ce témoin comme................. de tous les autres.

---

33 *Récrivez correctement le groupe de mots soulignés.*

— *Le goût de la lecture* **comme du sport**
→ *Le goût de la lecture* ***comme celui du sport***.

1. L'emploi du temps de cette année mais pas de l'an prochain.
→ ....
2. La persévérance du chercheur comme du sportif.
→ ....
3. Les annales de cette année plutôt que de l'an dernier.
→ ....
4. Les résultats de cette année plutôt que des autres années.
→ ....
5. Le goût des sports de glisse comme du rugby.
→ ....

---

34 *Même exercice.*

1. Les gens de notre pays et des pays avoisinants.
→ ....
2. Le manque de sommeil plutôt que de nourriture.
→ ....
3. L'espoir de notre équipe comme des équipes rivales.
→ ....
4. L'intuition du savant autant que de l'artiste.
→ ....
5. L'astuce de l'oiseau plutôt que du chat.
→ ....

11 LE PRONOM DÉMONSTRATIF : SES ABUS

- **Dites :**

— *Sophie m'a fait visiter sa* ***maison. Celle-ci*** *est bien bâtie, grande, propre.*

→ ***Celle-ci*** désigne la ***maison*** et non *Sophie*. Le pronom démonstratif est donc **obligatoire.**

Cependant, son emploi n'est nécessaire que s'il y a **ambiguïté** (voir leçon 16).

- **Ne dites pas :**

— *J'ai un chien depuis trois mois.* ***Celui-ci*** *est très gentil.*

→ L'emploi du démonstratif est ici **superflu,** car il ne peut y avoir d'ambiguïté sur le sujet.

- **Dites :**

— *J'ai un chien depuis trois mois.* ***Il*** *est très gentil.*

EXERCICES

35 *Indiquez si le pronom démonstratif est utile* ***(oui)*** *ou inutile* ***(non)*** *et corrigez quand c'est nécessaire.*

— *J'ai déjà fait cette escalade.* **Celle-ci** *n'est pas très difficile.*
(non) → ....***Elle***.........

1. Mélanie n'aime pas aller chez le dentiste. Elle craint que celui-ci ne lui fasse mal. ....
2. Il aime beaucoup les romans policiers ; ceux-ci le divertissent quand il est fatigué. ....
3. Aimes-tu les chats ? Je trouve que ceux-ci font de bons compagnons. ....
4. Je n'aime pas cette saison. Celle-ci m'attriste. ....
5. Connais-tu ce guide de l'Auvergne ? Celui-ci est très bien fait. ....

36 *Remplacez le pronom démonstratif par le nom qu'il représente.*

— *Ils sont venus chercher leurs amis mais* **ceux-ci** *ne sont pas arrivés à l'heure.* .... ***leurs amis*** ....

1. Mon frère a une mobylette neuve. Celle-ci est italienne. ....
2. Leur maison est plus vaste que l'ancienne. Mais celle-ci avait une plus jolie vue. ....
3. Ces vacances sont plus réussies que les précédentes. Celles-ci étaient trop pluvieuses. ....
4. Cet enregistrement est différent de celui que nous avions. Celui-ci était plus rapide. ....

37 *Remplacez le pronom personnel par le pronom démonstratif, uniquement si cela est nécessaire.*

— *Ils regardent les oiseaux voler.* **Ils** *battent des ailes et pépient.* .... ***Ceux-ci.*** ....

1. Il connaît bien ma cousine. Elle joue au tennis avec lui. ....
2. Elles sont très habiles à lire les cartes. Elles retrouvent ainsi leur chemin n'importe où. ....
3. Elle voit souvent ma sœur. Elle va au cinéma avec elle. ....
4. Les voisines font brûler leurs herbes. Elles répandent une bonne odeur dans l'air. ....

12 Les ambiguïtés : la place de l'adverbe

- **Ne confondez pas :**

— *Votre exposé n'est **pas toujours** clair.*
→ L'adverbe ***toujours* est modifié** par la négation ***pas.***

- **Et :**

— *Votre exposé n'est **toujours pas** clair.*
→ L'adverbe ***toujours* modifie** le sens de le négation ***pas.***

On distinguera donc :

- *pas toujours* = ***rarement*** ; *pas vraiment* = ***pas tout à fait.***
- *toujours pas* = ***pas encore*** ; *vraiment pas* = ***pas du tout,*** etc.

EXERCICES

38 *Dans les phrases suivantes, donnez le sens des expressions soulignées.*

— *Je ne suis **pas vraiment** décidé.* ....***pas tout à fait.***....
*Je ne suis **vraiment pas** décidé.* ......***pas du tout.***......

1. Il n'est toujours pas venu. ....
2. Il n'est pas toujours venu. ....
3. Je ne le connais pas vraiment. ....
4. Je ne le connais vraiment pas . ...
5. Vous n'avez pas nettement compris. ....
6. Vous n'avez nettement pas compris. ....

39 *Même exercice.*

1. Je ne l'ai pas encore salué aujourd'hui..................................

2. Tu ne m'as <u>encore pas</u> rendu mes notes. ....

3. Cela n'est <u>pas franchement</u> dit. ....

4. Il n'a <u>franchement pas</u> voulu te blesser. ....

5. L'appareil ne fonctionne <u>pas vraiment</u> bien. ....

6. L'appareil ne fonctionne <u>vraiment pas</u> bien. ....

---

40 *Complétez les phrases en employant l'une des expressions suivantes et indiquez le sens pour chacune d'entre elles : **pas vraiment, vraiment pas, pas toujours, toujours pas, pas souvent, souvent pas, pas encore, encore pas.** (Tâchez d'utiliser toutes les expressions.)*

— *Tu ne me pardonnes* **pas encore.** = ***toujours pas***
→ *Je ne le reconnais* **pas vraiment.** = ***pas tout à fait***

1. Nous ne les connaissons ....
2. Leur avion ne s'est .... posé. ....
3. Vous n'avez .... compris ce qu'il veut. ....
4. Leur expression n'est .... aisée. ....

---

41 *Même exercice.*

1. Nous n'y allons ....
2. Les règles ne sont .... définies. ....
3. Je n'ai .... compris ce que tu souhaites faire. ....
4. Je n'ai .... aimé ses interprétations. ....
5. Il n'a .... eu son permis. ....

3 Les ambiguïtés : la proposition infinitive

• **Ne dites pas :**

— *Les professeurs ne nous laissent pas sortir sans **finir** nos exercices.*

→ Il y a **ambiguïté** sur le **sujet** du verbe ***finir.***

• **Dites :**

— *Les professeurs ne nous laissent pas sortir **sans que nous ayons fini** nos exercices.*

■ Dans une proposition infinitive, l'infinitif doit avoir le **même sujet** que le verbe principal.

Exercices

42 *Indiquez quel est le sujet commun au verbe principal et à l'infinitif.*

— *Il m'a donné un livre avant de partir.* ....***il***.......

1. Il m'a tout raconté avant de prendre l'autobus. ....
2. Tu es partie sans dire au revoir. ....
3. Après être sortie, elle m'a fait adieu de la main. ....
4. Vous êtes passé devant moi sans faire attention. ....
5. Il a pris sa tasse de café sans parler. ....
6. Il m'a regardé avant de plonger. ....
7. Elle m'a parlé avant de prendre une décision . ...

43 *Récrivez les phrases de l'exercice précédent de façon que **je** devienne le sujet de l'action exprimée par l'infinitif.*

— *Il m'a donné un livre* **avant de partir.**

→ *Il m'a donné un livre* ***avant que je (ne) parte.***

1. ....
2. ....

3. ....

4. ....

5. ....

6. ....

7. ....

---

44 *Récrivez correctement les propositions soulignées.*

— *Les grands-mères racontent des histoires merveilleuses aux enfants* **avant de s'endormir** *sur de beaux rêves.*

→ ***avant qu'ils ne s'endorment......***

1. Avant d'avouer son crime, le commissaire l'a interrogé longtemps.

   ....

2. Après être entré, la pharmacienne l'a reconnu.

   ....

3. Tu m'as prêté ta moto sans avoir à la demander.

   ....

4. Le garçon débarrasse nos assiettes avant d'avoir fini.

   ....

---

45 *Même exercice.*

1. Je ne te laisserai pas tranquille avant de me l'avoir donné.

   ....

2. Elle a débranché sa cassette avant d'être rembobinée.

   ....

3. Il m'a apporté un sandwich sans le commander.

   ....

4. Après avoir fini son travail, son client n'en a pas voulu.

   ....

4 LES AMBIGUÏTÉS : LA PROPOSITION PARTICIPE

- **Ne dites pas :**

— *Ayant* ***embrassé*** *ma femme avec passion le chauffeur de car me fit signe de monter.*

→ Il y a **ambiguïté** sur le **sujet** du participe ***embrassé.***

- **Dites :**

— ***Quand j'eus embrassé ma femme*** *avec passion, le chauffeur de car me fit signe de monter.*

Dans une proposition participe, le participe doit avoir le **même sujet** que le verbe principal. Si les sujets sont différents, on doit **modifier** la proposition.

EXERCICES

46 *Indiquez si les phrases suivantes sont correctes* ***(C)*** *ou incorrectes* ***(I),*** *et corrigez quand il le faut.*

— **Ayant crevé** *en route, le garagiste me conseilla de prendre le train pour rentrer.*
→ ***(I) Comme j'avais crevé en route,...***

1. Ayant perdu la clé, mon frère m'a ouvert la porte.
→ ....
2. Ayant décidé de travailler, il n'est pas venu.
→ ....
3. Ayant promis de le faire, vous pouvez compter sur moi.
→ ....
4. Ayant commencer à manger, mon chat est venu auprès de moi.
→ ....
5. Ayant fini l'entraînement, elle m'a emmenée au cinéma.
→ ....

47 Même exercice.

1. Étant heureuse de la retrouver, nous nous sommes embrassées.

   → ....

2. N'ayant pas reconnu cet ami, il m'a fait de grands signes.

   → ....

3. Ayant oublié de prendre de l'argent, mon ami m'en a prêté.

   → ....

4. Ayant terminé mes études, ma mère m'acheta une voiture.

   → ....

48 Récrivez correctement les propositions soulignées.

— **Ayant réussi ton bac,** *tes parents t'ont offert un voyage.*
→ ***Comme tu avais réussi ton bac,...***

1. Étant tombé malade, les autres ont pris de l'avance.

   → ....

2. Ayant répondu à l'annonce, on m'a convoqué pour un entretien.

   → ....

3. N'ayant pas mis d'eau, les fleurs se sont fanées.

   → ....

49 Même exercice.

1. Ayant accepté de les recevoir, elle sont arrivées à une heure.

   → ....

2. T'étant foulé la cheville, ils ont fait la course sans toi.

   → ....

3. Ayant fait la queue toute la nuit, il ne restait plus qu'un billet.

   → ....

5 LES AMBIGUÏTÉS : LA PROPOSITION INTERROGATIVE

- **Dites :**

— ***Qui*** *a rencontré ton* ***frère*** *?*

→ Si ***qui*** est le sujet et ***frère*** le COD.

- **Dites :**

— ***Qui*** *ton* ***frère*** *a-t-il rencontré ?*

→ Si ***frère*** est le sujet et ***qui*** le COD.

L'ambiguïté sur le **sujet** et le **cod** du verbe est ainsi évitée.

Dans une interrogative commençant par ***qui***, dont le verbe transitif est à la troisième personne, le pronom interrogatif est obligatoirement **sujet** du verbe, sauf quand une inversion, simple ou complexe, indique clairement sa fonction d'**objet**.

EXERCICES

50 *Dans les phrases suivantes, indiquez si le pronom interrogatif a une fonction de sujet (**S**) ou d'objet (**O**).*

— **Qui** *ce touriste cherche-t-il ?* → **(O)**
Qui *vient voir ma tante ?* → **(S)**

1. ***Qui*** écoute ton oncle ? (.....)
2. ***Qui*** rencontre Paul ce soir ? (.....)
3. ***Qui*** Pierre a-t-il frappé ? (.....)
4. ***Qui*** a entendu ma sœur ? (.....)
5. ***Qui*** a bousculé cet enfant ? (.....)
6. ***Qui*** connaît-elle ici ? (.....)

51 *Récrivez les phrases suivantes de façon que le pronom* ***QUI*** *soit nécessairement complément d'objet du verbe.*

— **Qui** *a rencontré Jeanne ?*
→ ***Qui*** *Jeanne* ***a-t-elle*** *rencontré ?*

1. ***Qui*** attend Clélia ?
→ ....
2. ***Qui*** a appelé Roxane ?
→ ....
3. ***Qui*** a frappé Alexandre ?
→ ....
4. ***Qui*** viendra voir Camille ?
→ ....
5. ***Qui*** taquine Bruno ?
→ ....

52 *Même exercice.*

1. ***Qui*** regarde Maud ?
→ ....
2. ***Qui*** écoute Hélène ?
→ ....
3. ***Qui*** admire Jennifer ?
→ ....
4. ***Qui*** aime Éva ?
→ ....
5. ***Qui*** a choisi Marion ?
→ ....

53 *En partant du principe que **QUI** est le complément d'objet direct du verbe, indiquez si les phrases suivantes sont correctes **(C)** ou incorrectes **(I)**, et corrigez quand il le faut.*

— **Qui** *attendra Antoine ?*

→ *(**I**) **Qui** Antoine **attendra-t-il ?***

1. ***Qui*** a attendu Jean-François ?

→ ....

2. ***Qui*** Émilie a-t-elle écouté ?

→ ....

3. ***Qui*** a vu ton frère au cinéma ?

→ ....

4. ***Qui*** a dépassé Marianne ?

→ ....

---

54 *Même exercice.*

1. ***Qui*** ta sœur préfère-t-elle ?

→ ....

2. ***Qui*** l'entraîneur suit-il ?

→ ....

3. ***Qui*** appellera mon cousin ?

→ ....

4. ***Qui*** a trompé ton frère ?

→ ....

16 Les ambiguïtés : le pronom personnel

• **Dites** :

— ***Antoine*** *a pris mon frère en photo ;* ***il*** *est ravi.*
→ Si ***il*** désigne ***Antoine,*** sujet du premier verbe.

• **Dites** :

— *Antoine a pris mon* ***frère*** *en photo ;* ***celui-ci*** *est ravi.*
→ Si vous voulez indiquer que c'est ***mon frère*** qui ***est ravi.***

Un pronom doit renvoyer sans ambiguïté au nom qu'il représente.

■ Ici, on emploie le pronom personnel ***il*** pour **remplacer le sujet** du premier verbe. Pour **remplacer le nom objet**, on emploie un pronom démonstratif : ***celui-ci.***

Exercices

55 *Indiquez à quel* ***nom*** *renvoie le pronom personnel souligné. Quand il y a ambiguïté, indiquez les deux noms.*

— *Jean parle avec son ami et s'amuse de ce qu'****il*** *lui dit.* ....***Jean / son ami***....

1. Avant de servir ces champignons à vos amis, lavez-les soigneusement. ....
2. Marc a appris à son frère qu'il avait été un enfant insupportable. ....
3. Ma sœur joue au scrabble avec la tienne, mais elle ne gagne pas souvent. ....
4. Faites fonctionner l'aspirateur. Quand le client l'a observé, débranchez-le et rangez-le dans le placard. ....
5. Marie a demandé à Simone de la rencontrer au café ; mais elle ne l'a pas retrouvée. ....

6. Adrien a bousculé Charles, mais il ne s'est pas fait mal. ....

---

56 *Même exercice.*

1. Mon père a passé la soirée avec le tien, mais il ne lui a rien dit. ....

2. Paul donne rendez-vous à Pierre, mais il ne sait pas s'il pourra venir. ....

3. Le garagiste a dépanné mon oncle ; il était content du résultat. ....

4. Hélène a tondu l'herbe. Elle était superbe. ....

5. La vigne a poussé sur la maison ; elle est méconnaissable. ....

6. Elle a retrouvé les clés de sa sœur. Tu penses si elle est soulagée ! ....

---

57 *Récrivez les phrases de l'exercice* ***55*** *en éliminant les ambiguïtés sur le pronom quand il y en a.*

1. → ....
....

2. → ....
....

3. → ....
....

4. → ....
....

5. → ....
....

6. → ....
....

58 *Même exercice (phrases de l'exercice **56**).*

1. → ....

....

2. → ....

....

3. → ....

....

4. → ....

....

5. → ....

....

6. → ....

....

7 Les substitutions : la proposition relative et l'adjectif qualificatif

- **Évitez de dire :**

— *Un incident* ***qu'on n'avait pas pu prévoir.***

- **Dites plutôt :**

— *Un incident* ***imprévisible.***

■ Pour simplifier son expression et alléger les phrases, on peut **remplacer** une **proposition relative** par un **adjectif qualificatif**.

Exercices

59 *Remplacez la proposition relative soulignée par un adjectif qualificatif.*

— *Un plat* ***qu'on ne peut pas manger.*** ......***immangeable***....

1. Un cheval qu'on ne peut contrôler. ....
2. Un livre qu'on n'arrive pas à lire. ....
3. Une idée qu'on ne peut concevoir. ....
4. Un humour qu'on ne peut traduire. ....
5. Une conduite qu'on ne pouvait imaginer ....
6. Une voile que l'on ne peut voir. ....

60 *Même exercice.*

1. Un sentiment que l'on n'arrive pas à définir. ....
2. Un résultat que l'on ne pouvait prévoir. ....
3. Un tissu qui ne s'enflamme pas. ....

4. Un défaut qu'on ne peut corriger. ....

5. Une casserole qu'on ne peut récupérer ....

---

61 *Même exercice (l'adjectif à trouver n'est pas toujours semblable au verbe).*

1. Un matériau qui ne pourrit pas. ....
2. Une musique qu'on ne peut écouter. ....
3. Des partisans qui ne veulent pas se rendre. ....
4. Une émotion qui ne se dit pas. ....
5. Une forteresse qu'on ne peut pas prendre d'assaut. ....
6. Une arrivée qui va se faire dans très peu de temps. ....

---

62 *Supprimez la proposition relative en conservant son sens dans la phrase.*

— *Une montagne* **qui est très élevée.**
→ *Une montagne* ***très élevée.***

1. Un enfant dont on a désiré la naissance.
→ ....
2. Un chanteur qui a une grande célébrité.
→ ....
3. Un numéro qu'on arrive pas à avoir.
→ ....
4. Un événement qui a une très grande importance.
→ ....
5. Un homme qui a beaucoup de bonheur.
→ ....

8 LES SUBSTITUTIONS : LA PROPOSITION RELATIVE, L'ANTÉCÉDENT ET LE NOM

- **Évitez de dire** :

— *On nous a désigné* ***celui qui présidait la séance.***

- **Dites plutôt** :

— *On nous a désigné* ***le président de la séance.***

Pour simplifier son expression et alléger les phrases, on peut **remplacer** une **proposition relative et son antécédent** par un **nom.**

EXERCICES

63 *Remplacez la proposition relative et son antécédent par un nom.*

— *J'ai pu interroger* ***celui qui jouait dans le film.***
→ ***l'acteur du film.***

1. Celui qui m'a volé ma mobylette a été retrouvé.
→ ....

2. Le vieux qui allumait les réverbères n'existe plus.
→ ....

3. Connais-tu le type qui a gagné la course ?
→ ....

4. J'ai toujours rêvé d'être celui qui dompte les tigres.
→ ....

64 *Même exercice*

1. Je cherche l'homme qui répare les machines à laver.
→ ....

2. Pouvez-vous m'indiquer la personne qui dirige l'entreprise ?

→ ....

3. Celui qui conduit le tracteur est un tout jeune homme.

→ ....

4. Celui qui a conçu cette voiture était vraiment inspiré.

→ ....

---

65 *Même exercice.*

1. Celui qui a composé *Dom Juan* est un grand musicien.

→ ....

2. La jeune fille qui enseigne au C.P. est très douce.

→ ....

3. L'homme qui vend des voitures insiste trop.

→ ....

4. La jeune femme qui est au standard est nouvelle ici.

→ ....

---

66 *Indiquez si les formulations suivantes sont bonnes (**B**) ou corrigez la phrase pour l'améliorer.*

— **La femme qui vend des fruits** *est sympathique.*
→ ***La marchande de fruits est sympathique.***

1. Les enfants qui sont dans cette classe sont bruyants.

→ ....

2. Les brocanteurs travaillent beaucoup.

→ ....

3. Ceux qui travaillent la terre n'ont pas toujours de bonnes récoltes.

→ ....

4. Montrez-moi la personne qui a écrit le scénario.

→ ....

9 Les substitutions : la subordonnée conjonctive et le nom

- **Évitez de dire :**

— ***Bien qu'il ait été en retard,*** *il a pu suivre l'essentiel de la rencontre.*

- **Dites plutôt :**

— ***Malgré son retard,*** *il a pu suivre l'essentiel de la rencontre.*

■ Pour simplifier son expression et alléger les phrases, on peut **remplacer** une **subordonnée conjonctive** par un **nom.**

EXERCICES

67 *Remplacer la subordonnée conjonctive par un nom.*

— *Il est entré* ***pendant que nous dormions.***

→ ***pendant notre sommeil.***

1. Quand tu reviendras, nous irons au cinéma.

→ ....

2. Elle s'en occupera pendant qu'on promène le bébé.

→ ....

3. Je fais des vœux pour qu'il réussisse.

→ ....

4. Il n'a rien fait parce qu'il était malade.

→ ....

5. Bien qu'elle soit occupée, elle ne l'oublie pas.

→ ....

68 *Même exercice.*

1. Il ne lui a rien dit parce qu'il craignait sa réaction.

→ ....

2. L'équipement est prévu pour que vous soyez en sécurité.

→ ....

3. Allons-y quoiqu'il fasse froid.

→ ....

4. Viens me voir pendant qu'il fait sa sieste.

→ ....

5. Préviens-moi dès qu'il vous aura appelé.

→ ....

69 *Même exercice.*

1. Rentre ton linge avant qu'il ne pleuve.

→ ....

2. Écrivez-nous lorsque vous arriverez là-bas.

→ ....

3. La joie venait toujours après qu'on avait eu de la peine.

→ ....

4. Ils ont répondu aux questions parce que nous les avons aidés.

→ ....

5. J'avais complètement oublié où nous avions rendez-vous.

→ ....

70 *Indiquez si les formulations suivantes sont bonnes (**B**), c'est-à-dire les meilleures, ou corrigez la phrase pour l'améliorer.*

— *Depuis* **qu'il s'était réconcilié avec elle,** *il se sentait plus gai.*

→ ***Depuis sa réconciliation avec elle,*** *il se sentait plus gai.*

1. On verra cela pendant qu'ils seront en récréation.

→ ....

2. Ses dents claquent quoiqu'il fasse chaud.

→ ....

3. En admettant la justesse de tes hypothèses, tout reste encore à démontrer.

→ ....

71 *Même exercice.*

1. Selon que vous aurez de l'influence ou non, l'opinion que l'on a de vous variera.

→ ....

2. Bien qu'il soit fatigué, il s'obstine.

→ ....

3. J'ai hésité en raison de ta fatigue.

→ ....

20 Les substitutions : la subordonnée complétive et le nom

• **Évitez de dire :**

— *Ils étaient convaincus* ***qu'il était de bonne foi.***

• **Dites plutôt :**

— *Ils étaient convaincus* ***de sa bonne foi.***

Pour simplifier son expression et alléger les phrases, on peut **remplacer** une **subordonnée complétive** par un **nom.**

EXERCICES

72 *Remplacer la subordonnée complétive par un nom.*

— *Je souhaitais vivement* **qu'il vienne**.

→ *Je souhaitais vivement* ***sa venue.***

1. Je me passerai bien que vous m'approuviez.

→ ....

2. Personne ne s'attendait à ce qu'elle se marie.

→ ....

3. Préparez-vous à ce qu'il revienne.

→ ....

4. Il souhaiterait que vous lui laissiez des délais.

→ ....

73 *Même exercice.*

1. Tu as senti qu'il t'était indifférent.

→ ....

2. Elles redoutent que tu échoues à ton examen.

→ ....

3. Ils ne toléreront pas que tu t'installes dans leur propriété.

→ ....

4. J'admire que vous vous montriez patient.

→ ....

---

74 *Même exercice.*

1. Je me félicite que tu aies persévéré.

→ ....

2. Réjouissons-nous qu'elle ait de bons résultats.

→ ....

3. Elle regrette que vous soyiez brouillés.

→ ....

4. Il souffre que vous vous montriez hostiles à son égard.

→ ....

---

75 *Indiquez si les formulations suivantes sont bonnes (**B**), c'est-à-dire les meilleures, ou corrigez la phrase pour l'améliorer.*

— *Nous craignons **qu'il ne nous soit hostile**.*
→ *Nous craignons **son hostilité.***

1. Je vous garantis que je suis sincère.

→ ....

2. Ils m'ont promis leur présence.

→ ....

3. Tu crains qu'ils ne te comprennent pas bien.

→ ....

4. Réjouissons-nous qu'ils soient impatients de nous voir.

→ ....

21 LES SUBSTITUTIONS : LA PROPOSITION SUBORDONNÉE ET L'INFINITIF

• **Évitez de dire :**

— *L'entreprise fait d'importants aménagements **afin que soient améliorées** les conditions de travail.*

• **Dites plutôt :**

— *L'entreprise fait d'importants aménagements **pour améliorer** les conditions de travail.*

Pour simplifier son expression et alléger les phrases, on peut **remplacer** une **proposition subordonnée** par un **infinitif.**

EXERCICES

76 *Remplacez la proposition subordonnée par un infinitif.*

— *Il m'a appelée **pour que je sois rassurée**.*
→ *Il m'a appelée **pour me rassurer.***

1. Il faut que nous partions.
→ ....
2. Sois loyal afin que tes amis t'apprécient.
→ ....
3. Arrête avant que la fatigue ne te prenne.
→ ....
4. Tu étais certain que tu y parviendrais.
→ ....

77 *Même exercice.*

1. Il vaut mieux recommencer afin que les résultats soient parfaits.
→ ....

2. Après qu'ils auront fini leur travail, ils iront voir le match.

→ ....

3. Elle aime qu'on l'écoute avec attention.

→ ....

4. Il lui est particulièrement nécessaire qu'il s'applique.

→ ....

---

78 *Même exercice.*

1. Je ne suis pas sûre que j'y arriverai.

→ ....

2. Tous doivent faire un effort afin que la règle soit appliquée.

→ ....

3. Craignant qu'on ne le poursuive, il est parti en courant.

→ ....

4. Elles aiment quand elles font de la musique.

→ ....

---

79 *Indiquez si les formulations suivantes sont bonnes (**B**), c'est-à-dire les meilleures, ou corrigez la phrase pour l'améliorer.*

— *Sa récompense serait* ***qu'il réussisse.***
→ *Sa récompense serait* ***de réussir.***

1. Nous nous sommes engagés sans que nous ayons vérifié les conditions de la location.

→ ....

2. Pour être triste, elle n'en est pas moins attirante.

→ ....

3. Il doit faire un stage avant qu'on ne lui donne un contrat.

→ ....

4. Après que les fruits sont cueillis, on fait de la confiture.

→ ....

22 Les substitutions : la subordonnée de temps et le groupe nominal

- **Évitez de dire** :

— ***Avant que l'avion n'atterrisse****, on doit boucler sa ceinture.*

- **Dites plutôt** :

— ***Avant l'atterrissage,*** *on doit boucler sa ceinture.*

Pour simplifier son expression et alléger les phrases, on peut **remplacer** une **proposition circonstancielle de temps** par un **groupe nominal.**

Exercices

80 *Remplacez la proposition circonstancielle par un groupe nominal.*

— **Pendant qu'on annonçait les résultats,** *la foule se mit à siffler.*

→ ***À l'annonce des résultats,*** *la foule se mit à siffler.*

1. Quand la journée est finie, tout le monde se repose.

→ ....

2. Depuis qu'il est arrivé, je n'ai pas eu cinq minutes à moi.

→ ....

3. Sors vite, avant que l'orage n'éclate.

→ ....

4. Dès que le jour se lève, les oiseaux commencent à chanter.

→ ....

5. Je vais travailler pendant que la petite fait la sieste.

→ ....

81 *Même exercice.*

1. Tu nous expliqueras tout après qu'il sera parti.

→ ....

2. Lorsque vous reviendrez, le jardin aura refleuri.

→ ....

3. Je ne bougerai pas d'ici jusqu'à ce que les travaux soient finis.

→ ....

4. On rencontre beaucoup d'engins agricoles au moment où l'on fait la moisson.

→ ....

5. Dès que le soleil est couché, il fait plus frais.

→ ....

82 *Même exercice.*

1. Nous nous verrons avant que la semaine ne soit finie.

→ ....

2. Les fruits sont meilleurs si on les cueille quand ils sont mûrs.

→ ....

3. Après que la moisson est faite, il ne reste que du chaume dans les champs.

→ ....

4. Quand le jour tombe, les hirondelles font les folles.

→ ....

5. Pendant que tu seras en stage, essaie d'améliorer ton anglais.

→ ....

83 *Indiquez si les formulations suivantes sont bonnes (**B**), c'est-à-dire les meilleures, ou corrigez la phrase pour l'améliorer;*

— *J'ai beaucoup de choses à faire* **avant que les vacances n'arrivent.**

→ ***avant les vacances.***

1. Écris-moi dès que tu seras arrivé.

→ ....

2. Au fur et à mesure de tes progrès, ça deviendra plus facile.

→ ....

3. Envoie-lui une carte avant que les vacances ne soient finies.

→ ....

84 *Même exercice.*

1. À minuit sonnant, Cendrillon a perdu sa pantoufle de vair.

→ ....

2. On voit mieux les étoiles à la nuit tombée.

→ ....

3. Ne fais pas de courant d'air pendant qu'il y a de l'orage.

→ ....

23 Les substitutions : la subordonnée de cause et le groupe nominal

• **Évitez de dire :**

— ***Parce qu'il pleuvait,*** *j'ai dû rester enfermé.*

• **Dites plutôt :**

— ***À cause de la pluie,*** *j'ai dû rester enfermé.*

■ Pour simplifier son expression et alléger les phrases, on peut **remplacer** une **proposition circonstancielle de cause** par un **groupe nominal.**

Exercices

85 *Remplacez la proposition circonstancielle par un groupe nominal introduit par :* ***à cause de, grâce à, faute de, en raison de.***

— **Parce qu'il lui manquait un bon entraînement**, *elle n'a pas réussi à se qualifier.*

→ ***Faute d'un bon entraînement...***

1. Parce qu'elle avait de l'avance, elle a pu se reposer sur le parcours.

   → ....

2. Je ne m'en suis pas servi parce que je n'avais pas d'argent pour l'acheter.

   → ....

3. Nous marchons peu parce qu'il fait très chaud.

   → ....

4. Parce qu'elle se concentre beaucoup, elle travaille très vite.

   → ....

86 *Même exercice.*

1. J'aimerais faire équipe avec toi parce que je te trouve sympathique.

   → ....

2. Ils n'ont pas pu venir parce qu'ils n'avaient pas de moyens de locomotion.

   → ....

3. Ouvre le parasol parce qu'il y a du soleil.

   → ....

4. Si j'y suis arrivé, c'est parce que tu m'as aidé.

   → ....

5. J'aime la nature parce que j'ai passé mon enfance à la campagne.

   → ....

87 *Même exercice.*

1. Il bricole parce qu'il manque de moyens.

   → ....

2. L'école est fermée parce qu'il y a une épidémie.

   → ....

3. La panne ne nous a pas trop gênés parce que nous avions une provision de bougies.

   → ....

4. Les bateaux n'ont pas pris la mer parce que le temps était mauvais.

   → ....

5. Parce que les horaires avaient changé, j'ai pu prendre un train plus tôt.

   → ....

88 *Indiquez si les formulations suivantes sont bonnes (**B**), c'est-à-dire les meilleures, ou corrigez la phrase pour l'améliorer.*

— *Ils se hâtent de couvrir le toit* **parce que l'hiver approche**.
→ ***à cause (en raison) de l'hiver.***

1. Les fruits ont gelé en raison de la baisse brutale de la température.

→ ....

2. S'il a continué, c'est parce que tu as eu confiance en lui.

→ ....

3. On n'arrose plus les jardins à cause de la pénurie d'eau.

→ ....

89 *Même exercice.*

1. Parce qu'il manquait d'enthousiasme, il n'a pas décroché son stage.

→ ....

2. S'il est devenu bon cavalier, c'est parce qu'il a persévéré.

→ ....

3. Parce qu'il a manqué de temps pour s'y préparer, il n'a pas voulu participer au tournoi cette année.

→ ....

24 LES SUBSTITUTIONS : LES NOMS ET LE VERBE

- **Ne dites pas :**

— *On s'est aperçu que la nature* ***avait des risques de*** *disparition.*

- **Dites :**

— *On s'est aperçu que la nature* ***risquait de*** *disparaître.*

Pour simplifier son expression et alléger les phrases, il vaut mieux **éviter l'accumulation des substantifs** et **employer un verbe**.

EXERCICES

90 *Remplacez l'expression soulignée par un verbe ou un groupe verbal.*

— **Il a des possibilités de** *remporter la victoire.*
→ ***Il peut*** *remporter la victoire.*

1. Il a des dons de sportif, mais il est paresseux.
→ ....
2. Fais-tu la culture et la taille des rosiers ?
→ ....
3. J'ai une préférence pour la lecture des romans d'aventure.
→ ....
4. Il y a entre eux un partage des responsabilités dans l'organisation du voyage.
→ ....

91 *Même exercice.*

1. La météo fait des prévisions sur le changement de temps sur quatre jours.
→ ....

2. Il fait la vente des livres à domicile.

→ ....

3. Le député a une bonne compréhension des problèmes d'environnement de sa région.

→ ....

4. Ils font souvent des voyages dans les pays du Nord.

→ ....

---

92 *Même exercice.*

1. Beaucoup de gens se livrent à l'observation des oiseaux des forêts.

→ ....

2. Elle a le désir d'une réussite dans l'hôtellerie.

→ ....

3. L'écoute de ses disques lui est cause d'un grand plaisir.

→ ....

4. Les étudiants ont l'espoir d'une bourse pour l'an prochain.

→ ....

---

93 *Même exercice.*

1. Elle est à la recherche d'un emploi d'hôtesse d'accueil.

→ ....

2. Les deux pays ont une volonté de rencontre.

→ ....

3. Ils sont dans l'attente d'un règlement du conflit.

→ ....

4. Ils ont fait le choix de l'ouverture des négociations de paix.

→ ....

5. Jérôme a du mal avec la résolution de l'équation.

→ ....

25 LES SUBSTITUTIONS : LES NOMS ET L'INFINITIF

• **Ne dites pas :**

— *La difficulté* ***de compréhension des adultes*** *au sujet des jeunes.*

• **Dites :**

— *La difficulté* ***des adultes à comprendre*** *les jeunes.*

Pour simplifier son expression et alléger ses phrases, il vaut mieux **éviter l'accumulation des noms** et **employer l'infinitif** à la place d'un de ces noms.

EXERCICES

94 *Remplacez le groupe de mots souligné par un infinitif et modifiez la phrase comme il convient.*

— *La facilité* ***d'oubli*** *des mauvais souvenirs.*
→ *La facilité* ***à oublier*** *les mauvais souvenirs.*

1. La difficulté de mon frère à une remise en question m'étonne.

→ ....

2. Ton hésitation sur tes choix me rend perplexe.

→ ....

3. Elle a de la facilité en ce qui concerne l'utilisation de son ordinateur.

→ ....

95 *Même exercice.*

1. Sa lenteur à la décision de son orientation est stupéfiante.

→ ....

2. Leur rapidité à l'assimilation des mathématiques est remarquable.

→ ....

3. Sa déception devant le renoncement au projet me déprime.

→ ....

4. Votre peur en ce qui concerne toute entreprise doit cesser.

→ ....

---

96 *Même exercice.*

1. Ma joie du travail du solfège a disparu.

→ ....

2. Aimes-tu la cueillette des mûres des bois ?

→ ....

3. Je préfère la descente de la piste en slalom.

→ ....

4. Notre enthousiasme en ce qui concerne notre participation aux œuvres humanitaires reste le même.

→ ....

---

97 *Même exercice.*

1. Peux-tu me montrer comment faire la réparation de mon scooter.

→ ....

2. Je me demande si la vente des livres à domicile est un bon métier.

→ ....

3. La vision de la mer déchaînée justifie le voyage.

→ ....

4. La réussite de l'escalade des Drus serait une grande joie pour lui.

→ ....

26 LES SUBSTITUTIONS : LES EXPRESSIONS « COMME ÉTANT », « COMME AYANT » ET LA PROPOSITION SUBORDONNÉE

- **Ne dites pas :**

— *Un homme* ***se sent comme appartenant*** *à un groupe.*

- **Dites :**

— *Un homme* ***sent qu'il appartient*** *à un groupe.*

Après un verbe pronominal exprimant un sentiment ou un jugement, il est préférable d'**éviter le participe précédé de *comme*.** Il vaut mieux **employer** une **proposition subordonnée**, et supprimer la tournure pronominale.

EXERCICES

98 *Remplacez les expressions soulignées par la subordonnée appropriée et modifiez le verbe principal comme il convient.*

— *Elle se rêve* **comme étant** *pilote de ligne.*
→ *Elle* ***rêve qu'elle est*** *pilote de ligne.*

1. Il s'imagine comme étant funambule.
→ ....

2. Vous vous croyez comme étant les meilleurs.
→ ....

3. L'enfant se rêve comme étant un adulte.
→ ....

4. Elle se pense comme ayant des chances de réussir.
→ ....

5. Tu te considères comme étant malchanceux.
→ ....

99 *Même exercice.*

1. Nous nous estimons comme ayant eu de la chance.

→ ....

2. Vous vous pensez comme faisant partie des privilégiés !

→ ....

3. Je te juge comme étant mon meilleur ami.

→ ....

4. Je te perçois comme ayant une nature impatiente.

→ ....

5. Ils s'avouent comme redoutant le test.

→ ....

6. Elles se reconnaissent comme n'aimant pas l'école.

→ ....

---

100 *Indiquez si les formulations suivantes sont bonnes (**B**), c'est-à-dire les meilleures, ou corrigez la phrase pour l'améliorer.*

— **Je m'avoue comme étant** *paresseuse.*
→ ***J'avoue que je suis*** *paresseuse.*

1. Te sens-tu comme aimant l'aventure ?

→ ....

2. Rêves-tu que tu revis ton enfance ?

→ ....

3. Vous avouez-vous comme ayant triché ?

→ ....

4. Se sent-il comme ayant commis une faute ?

→ ....

Corrigés des exercices

Exercice 1

1. Ils souhaitent progresser et parviendront à le faire. **2.** Il aime les bons résultats et il est encouragé par eux. **3.** Nous attendions impatiemment sa pièce et (nous) avons été déçus par elle. **4.** Il désire la voir et à la fois se refuse à le faire (ou bien : il désire la voir et s'y refuse à la fois). **5.** Elle espère avoir une place sur le podium et y compte vraiment.. **6.** De plus en plus de gens possèdent une voiture et s'en servent. **7.** Ce journal critique les excès de notre temps et lutte contre eux.

Exercice 2

1. L'auteur met en scène un parvenu et se moque de lui. **2.** Elles apprennent à escalader ce pic et parviendront sûrement à le faire. **3.** Ils le font pour ressembler aux autres et agir comme eux. **4.** Il désire être délégué et envisage de l'être. **5.** Combien de fois êtes-vous venus à Rome et en êtes-vous repartis ! **6.** Il veut dénoncer les injustices et se révolter contre elles.

Exercice 3

1.(I) Je redoute cet homme et me méfie de lui. **2.(I)** Savez-vous tailler les arbres et êtes-vous en mesure de le faire ? **3.(I)** Je m'intéresse à cette émission et la regarde toutes les semaines. **4. (C) 5. (I)** Tous souhaitent interrompre la guerre et y mettre fin.

Exercice 4

1. et de filmer les extérieurs. **2.** et quand cela pourra se faire. **3.** et de ne présenter que les faits qui les avantagent. **4.** et de pouvoir s'en sortir.

Exercice 5

1. (C). 2 (I). et ses ridicules. **3. (C). 4. (I)** et ses progrès techniques. **5. (I)** et la façon dont l'auteur...

Exercice 6

1. (C). 2. (I) l'intérêt qu'elle suscite. **3. (C). 4. (C).**

Exercice 7

1. (I) la profession de.son père. **2. (I)** à la façon dont il invente... **3. (I)** ou s'il faudra venir vous chercher. **4. (i)** ou s'il l'a fait exprès.

Exercice 8

1. Ma mère fait ses courses dans les grandes surfaces. **2.** Les promoteurs n'ont jamais pensé que les autoroutes attireraient autant de voitures. **3.** Le vélo de mon frère, qui est dans la cour, est bel et bien cassé. **4.** J'ai l'impression que les gens ne savent plus faire la fête.

Exercice 9

1. On ne sait toujours pas quand vont commencer les vacances. **2.** La voiture du voisin est toute neuve. **3.** Même si mon ami ne pouvait pas se libérer, je partirais en vacances.

Exercice 10

1. Mon grand-père collectionne les voitures miniatures. **2.** Je ne sais pas si les cerises sont déjà mûres. **3.** Est-ce que Sylvain a eu son permis de conduire ?

Exercice 11

1. Vous bornez-vous à cela ? **2.** Elles se cantonnent dans ce qu'elles maîtrisent bien. **3.** Nous ne ferons que ce que nous avons déjà fait. **4.** Restreignez-vous aux premiers chapitres de ce livre. **5.** Il ne faut pas vous limiter à ce que vous connaissez.

Exercice 12

1. Tu te satisfais de très peu d'efforts. **2.** Tout cet enthousiasme s'est réduit à presque rien. **3.** Un livre ne se résume pas à une suite de chapitres. **4.** Leur activité se réduit à peu de choses. **5.** Cette salle est réservée à ceux qui veulent travailler.

Exercice 13

1.(I) Restreignez-vous à ce que vous savez faire. **2.(I)** Essayez de vous en tenir à ce qui vous semble juste. **3.(C) 4.(I)** Ne te borne pas à ce que je te suggère ! **5.(I)** Vous devriez vous limiter à l'essentiel.

Exercice 14

1.(C) 2.(I) Elles se sont contentées d'une vie étriquée. **3.(C) 4.(C) 5.(I)** S'il se cantonnait dans son entraînement !

Exercice 15

1. Vous avez l'air très en forme. **2.** Il me semble mal à l'aise ici. **3.** Elle apparaît ravie. **4.** La situation s'avère pleine de pièges.

Exercice 16

1. Le jardin paraît en pleine floraison. **2.** La conjoncture apparaît ambiguë. **3.** Le ciel semble menaçant. **4.** Tu parais hésitante. **5.** Ils se montrent responsables.

Exercice 17

1.(I) Les framboises apparaissent mûres. **2.(I)** Ton pull semble sec. **3.(C)** **4.(I)** Ils ont l'air épuisés.

Exercice 18

1.(I) Vous vous êtes montré responsable. **2.(C)** **3.(I)** Elle paraît déterminée. **4.(C)**.

Exercice 19

1. Ce livre est intéressant par son sujet. **2.** Il a fait une demande de bourse. **3.** Elle m'a informée qu'elle ne reviendrait pas. **4.** N'es-tu pas auvergnate par ta mère ? **5.** Ta décision de recommencer me paraît bonne.

Exercice 20

1. Ce film m'a plu par la beauté de ses images. **2.** Tâche de rentrer tôt ce soir. **3.** Il a raconté qu'il s'était perdu. **4.** C'est le meilleur par la qualité de son travail. **5.** Ils ont décidé de se réunir tous les mois.

Exercice 21

1.(I) On a décrété qu'il y aurait des restrictions d'eau. **2.(I)** Ce présentateur me plaît par sa simplicité. **3.(I)** Je m'efforcerai que mes parents soient contents. **4.(C)** **5.(I)** Son désir de voyager demande réflexion.

Exercice 22

1. On m'a prévenu que le spectacle n'aurait pas lieu. **2.** Les cubes sont juxtaposés. **3.** Je préférerais que tu viennes demain. **4.** Il faut s'entraider en ces temps difficiles. **5.** Tu avais prévu ce qui s'est passé.

Exercice 23

1. Remettez-vous au travail ! **2.** Compare ces deux photographies. **3.** Commencez par vous taire ! **4.** Il avait préparé son discours.

Exercice 24

1. Ne me dites pas qu'on ne vous a pas prévenu ! **2.** Dépêchez-vous de terminer vos exercices. **3.** L'orage a fini par éclater. **4.** L'acteur exagère ses mimiques. **5.** Il suffirait que tu le veuilles bien !

Exercice 25

1. Ça m'a rappelé que j'avais oublié d'acheter le journal. **2.** Il est impossible de retrouver ce que j'ai perdu. **3.** Ce film montre l'ambiguïté des sentiments. **4.** La possibilité de recommencer est une chance. **5.** Le visage de ma sœur me rappelle celui de ma mère.

Exercice 26

1. Il est impossible de fumer dans le métro. **2.** Montre-moi comment tu t'y prends. **3.** Il est encore possible de trouver un magasin ouvert le soir. **4.** Ils nous ont communiqué leur adresse de vacances. **5.** Ce sera impossible de finir le livre pour la rentrée. **6.** Vous nous montrerez tous les petits villages de la côte. **7.** J'aimerais réussir à battre mon propre record.

Exercice 27

1. de. **2.** en. **3.** avec. **4.** pour.

Exercice 28

1. pour. **2.** avec. **3.** des. **4.** dans. **5.** dans

Exercice 29

1 = (C). **2.** = (I) avec. **3.** = (C). **4.** = (I) de

Exercice 30

1 = (I) pour. **2.** = (C) **3.** = (C). **4.** = (C). **5.** = (C)

Exercice 31

1. celles **2.** ceux **3.** ceux **4.** celui **5.** celui **6.** celle

Exercice 32

1. celle **2.** ceux **3.** ceux **4.** ceux **5.** celle **6.** celle

Exercice 33

1. mais pas celui de l'an prochain. **2.** comme celle du sportif. **3.** plutôt que celles de l'an dernier. **4.** plutôt que ceux des autres années. **5.** comme celui du rugby.

Exercice 34

1. et ceux des pays avoisinants. **2.** plutôt que celui de nourriture. **3.** comme celui des équipes rivales. **4.** autant que celle de l'artiste. **5.** plutôt que celle du chat.

Exercice 35

1. (NON) Il. **2.** (NON) Ils. **3.** (NON) Ils. **4.** (NON) Elle. **5.** (NON) Il.

Exercice 36

1. La mobylette neuve. **2.** L'ancienne maison. **3.** Les vacances précédentes. **4.** L'enregistrement que nous avions

Exercice 37

1. Inutile. **2.** Inutile. **3.** Celle-ci (si ***elle*** désigne ***ma sœur***). **4.** Celles-ci.

Exercice 38

1. pas encore. **2.** rarement. **3.** pas tout à fait. **4.** pas du tout. **5.** pas clairement. **6.** manifestement pas.

Exercice 39

1. toujours pas. **2.** à nouveau pas ou une nouvelle fois pas (rendu). **3.** pas clairement. **4.** pas véritablement. **5.** pas tout à fait. **6.** pas du tout.

Exercices 40/41

Ces exercices permettent certaine latitude de choix. Il faut se rappeler que *pas vraiment* = ***pas tout à fait*** ; *vraiment pas* = ***pas du tout*** ; *pas toujours* = ***parfois*** ; *toujours pas* = ***pas encore*** ; *pas souvent* = ***rarement*** ; *souvent pas* = ***à plusieurs reprises*** ; *pas encore* = ***toujours pas*** ; *encore pas* = ***de façon répétée***.

Exercice 42

1. Il. **2.** Tu. **3.** Elle. **4.** Vous. **5.** Il. **6.** Il. **7.** Elle.

Exercice 43

1. Il m'a tout raconté avant que je prenne l'autobus. **2.** Tu es partie sans que je te dise au revoir. **3.** Après que je sois sorti(e), elle m'a fait adieu de la main. **4.** Vous êtes passé devant moi sans que je fasse attention. **5.** Il a pris sa tasse de café sans que je lui parle. **6.** Il m'a regardé avant que je (ne) plonge. **7.** Elle m'a parlé avant que je (ne) prenne une décision.

Exercice 44

1. Avant qu'il n'avoue son crime. **2.** Après qu'il soit entré. **3.** Sans que j'aie à la demander. **4.** Avant que nous (n') ayons fini.

Exercice 45

1. Avant que tu (ne) me l'aies donné. **2.** Avant qu'elle (ne) soit rembobinée. **3.** Sans que je l'ai commandé. **4.** Après qu'il ait fini sont travail.

Exercice 46

1 (I) Comme j'avais perdu la clé... **2. (C) 3. (I)** Comme (Puisque) j'ai promis de le faire...
4.(I) Quand j'ai commencé à manger...
5. (C) ou comme j'avais fini l'entraînement...

Exercice 47

1 (I) Comme j'étais heureuse de la retrouver...
2. (I) Comme je ne reconnaissais pas (je n'avais pas reconnu) cet ami... **3. (I)** Comme (Étant donné que) j'avais oublié de prendre de l'argent... **4. (I)** Parce que j'avais terminé mes études...

Exercice 48

1. Comme (Parce que) j'étais tombé malade...
2. Comme j'ai (comme j'avais) répondu à l'annonce...
3. Comme il (elle) n'avait pas mis d'eau...

Exercice 49

1. Comme j'avais (tu, il(s), elle(s), nous, vous) accepté de les recevoir... **2.** Comme (parce que, puisque) tu t'étais foulé la cheville... **3.** Après que j'eus (tu, il(s), elle(s), nous, vous) fait la queue toute la nuit...

Exercice 50

1.(S) **2.**(S) **3.**(O) **4.**(S) **5.**(S) **6.**(O)

Exercice 51

1. Qui Clélia attend-elle ? **2.** Qui Roxane a-t-elle appelé ? **3.** Qui Alexandre a-t-il frappé ? **4.** Qui Camille viendra-t-elle voir ? **5.** Qui Bruno taquine-t-il ?

Exercice 52

1. Qui Maud regarde-t-elle ? **2.** Qui Hélène écoute-t-elle ? **3.** Qui Jennifer admire-t-elle ? **4.** Qui Éva aime-t-elle ? **5.** Qui Marion a-t-elle choisi ?

Exercice 53

1. (I) Qui Jean-François a-t-il attendu ? **2. (C)**
3. (I) Qui ton frère a-t-il vu au cinéma ?
4. (I) Qui Marianne a-t-elle dépassé ?

Exercice 54

1. (C). **2. (C)**. **3. (I)** Qui mon cousin appellera-t-il ?
4. (I) Qui ton frère a-t-il trompé ?

Exercice 55

1. ces champignons. **2.** Marc/son frère. **3.** Ma sœur/la tienne **4.** l'aspirateur. **5.** Marie/Simone.
6. Adrien./Charles.

Exercice 56

1. Mon père/le tien. **2.** Paul/Pierre.
3. Le garagiste/mon oncle. **4.** Hélène/l'herbe
5. La vigne/la maison. **6.** Elle/sa sœur

Exercice 57

1. Sans ambiguïté **2.** que celui-ci avait été **3.** celle-ci ne gagne pas souvent **4.** débranchez l'appareil.
5. celle-ci ne l'a pas retrouvée **6.** celui-ci ne s'est pas fait mal.

Exercice 58

1. celui-ci ne lui a rien dit. **2.** si celui-ci pourra venir.
3. celui-ci était content. **4.** celle-ci était superbe.
5. celle-ci est méconnaissable. **6.** celle-ci est soulagée !

Exercice 59

1. Incontrôlable. **2.** illisible. **3.** inconcevable.
4. intraduisible. **5.** inimaginable. **6.** invisible.

Exercice 60

1. Indéfinissable. **2.** imprévisible. **3.** ininflammable.
4. incorrigible. **5.** irrécupérable.

Exercice 61

1. Imputrescible. **2.** inaudible. **3.** irréductibles.
4. indicible. **5.** inexpugnable. **6.** imminente.

Exercice 62

1. Un enfant désiré. **2.** Un chanteur très célèbre.
3. Un numéro impossible à avoir. **4.** Un événement très important. **5.** Un homme très heureux.

Exercice 63

1. Le voleur de ma mobylette. **2.** L'allumeur de réverbères. **3.** le gagnant (ou : le vainqueur) de la course. **4.** un dompteur de tigres.

Exercice 64

1. Le réparateur de machines. **2.** le directeur de l'entreprise. **3.** Le conducteur du tracteur.
4. Le concepteur de cette voiture.

Exercice 65

1. Le compositeur de *Dom Juan*. **2.** L'institutrice du C.P. **3.** Le vendeur de voitures. **4.** La standardiste.

Exercice 66

1. Les élèves de cette classe. **2.** Bon.
3. Les agriculteurs. **4.** Le (la) scénariste.

Exercice 67

1. À ton retour... **2**. pendant la promenade du bébé. **3.** pour sa réussite (son succès). **4.** à cause de (en raison de) sa maladie. **5.** Malgré ses occupations...

Exercice 68

1. par crainte (peur) de sa réaction. **2.** pour votre sécurité. **3.** malgré le froid. **4.** pendant sa sieste
5. dès son appel.

Exercice 69

1. avant la pluie. **2.** à votre arrivée là-bas. **3.** après la peine. **4.** grâce à notre aide. **5.** le lieu de notre rendez-vous.

Exercice 70

1. pendant leur (la) récréation. **2.** malgré (en dépit de) la chaleur. **3.** Bon.

Exercice 71

1. Selon votre degré d'influence.
2. malgré (en dépit de) sa fatigue. **3.** Bon.

Exercice 72

1. de votre approbation. **2.** à son mariage. **3.** à son retour. **4.** des délais.

Exercice 73

1. ton indifférence (à son égard). **2.** ton échec.
3. ton installation... **4.** votre patience.

Exercice 74

1. de ta persévérance. **2.** de ses bons résultats **3.** votre brouille. **4.** de votre hostilité.

Exercice 75

1. ma sincérité. **2.** Bon. **3.** leur incompréhension. **4.** de leur impatience à nous voir.

Exercice 76

1. Il (nous) faut partir. **2.** afin d'être apprécié par tes amis. **3.** avant d'être fatigué (pris par la fatigue). **4.** d'y parvenir.

Exercice 77

1. pour (afin d') avoir des résultats parfaits **2.** Après avoir fini... **3.** Elle aime être écoutée... **4.** de s'appliquer.

Exercice 78

1. d'y arriver. **2.** pour (afin d') appliquer la règle. **3.** Craignant d'être poursuivi... **4.** faire.de la musique.

Exercice 79

1. sans vérifier les conditions de la location. **2.** Bon. **3.** avant d'avoir (de recevoir) un contrat. **4.** Après avoir cueilli...

Exercice 80

1. À la fin de la journée... **2.** Depuis son arrivée... **3.** avant l'orage **4.** Dès le (Au) lever du jour... **5.** pendant la sieste de la petite.

Exercice 81

1. après son départ. **2.** À votre retour... **3.** jusqu'à la fin des travaux. **4.** au moment de la moisson. **5.** Dès le coucher du soleil...

Exercice 82

1. avant la fin de la semaine. **2.** à maturité. **3.** Après la moisson... **4.** À la tombée du jour... **5.** Pendant ton stage...

Exercice 83

1. dès (à) ton arrivée. **2.** (Bon). **3.** avant la fin des vacances.

Exercice 84

1. Bon. **2.** Bon. **3.** pendant l'orage.

Exercice 85

1. Grâce à son avance... **2.** faute d'argent. **3.** en raison (à cause) de la grande chaleur. **4.** Grâce à sa grande concentration.

Exercice 86

1. à cause (en raison) de ma sympathie pour toi. **2.** faute de moyens de locomotion. **3.** à cause du soleil. **4.** grâce à ton aide. **5.** à cause (en raison) de mon enfance à la campagne.

Exercice 87

1. faute de moyens. **2.** en raison (à cause) d'une épidémie. **3.** grâce à notre provision de bougies. **4.** en raison (à cause) du mauvais temps. **5.** Grâce au changement d'horaires...

Exercice 88

1. Bon. **2.** grâce à ta confiance en lui. **3.** Bon.

Exercice 89

1. faute d'enthousiasme... **2.** grâce à sa persévérance. **3.** Faute de temps...

Exercice 90

1. Il est doué pour le sport... **2.** Cultives-tu et tailles-tu les rosiers ? **3.** Je préfère lire des romans d'aventure. **4.** Ils partagent les responsabilités...

Exercice 91

1. prévoit le changement de temps... **2.** Il vend... **3.** comprend bien les problèmes d'environnement... **4.** Ils voyagent souvent...

Exercice 92

1. Beaucoup de gens observent les oiseaux... **2.** Elle désire réussir dans l'hôtellerie. **3.** Écouter ses disques lui cause un grand plaisir. **4.** Les étudiants espèrent une bourse...

Exercice 93

1. Elle recherche un emploi d'hôtesse d'accueil. **2.** Les deux pays veulent se rencontrer. **3.** Ils attendent un règlement du conflit. **4.** Ils ont choisi l'ouverture des négociations de paix. **5.** Jérôme a du mal à résoudre l'équation.

Exercice 94

1. La difficulté de mon frère à se remettre en question m'étonne. **2.** Ton hésitation à choisir me rend perplexe. **3.** Elle a de la facilité à utiliser son ordinateur.

Exercice 95

1. Sa lenteur à décider de son orientation est stupéfiante. **2.** Leur rapidité à assimiler les mathématiques est remarquable. **3.** Sa déception à renoncer au projet me déprime. **4.** Votre peur d'entreprendre doit cesser.

Exercice 96

1. Ma joie à travailler le solfège a disparu. **2.** Aimes-tu cueillir les mûres des bois ? **3.** Je préfère descendre la piste en slalom. **4.** Notre enthousiasme à participer aux œuvres humanitaires reste le même.

Exercice 97

1. Peux-tu me montrer comment réparer mon scooter ? **2.** Je me demande si vendre des livres à domicile est un bon métier. **3.** Voir la mer déchaînée justifie le voyage. **4.** Réussir à escalader les Drus serait une grande joie pour lui.

Exercice 98

1. Il imagine qu'il est funambule. **2.** Vous croyez que vous êtes les meilleurs. **3.** L'enfant rêve qu'il est un adulte. **4.** Elle pense qu'elle a des chances de réussir. **5.** Tu considères que tu es malchanceux.

Exercice 99

1. Nous estimons que nous avons eu de la chance. **2.** Vous pensez que vous faites partie des privilégiés. **3.** Je juge que tu es mon meilleur ami. **4.** Je perçois que tu as une nature impatiente. **5.** Ils avouent qu'ils redoutent le test. **6.** Elles reconnaissent qu'elles n'aiment pas l'école.

Exercice 100

1. Sens-tu que tu aimes l'aventure ? **2.** Bon.
3. Avouez-vous que vous avez triché ?
4. Sent-il qu'il a commis une faute ?

INDEX

COORDINATION ÉDITORIALE : ALAIN-MICHEL MARTIN
MAQUETTE : ALAIN BERTHET

Les chiffres renvoient aux numéros des leçons.

ISSN0981-8170

Achevé d'imprimer par EMD S.A.S. à Lassay-les-Châteaux - France
N° d'impression : 28763 - Dépôt légal : 71156 - 5/17 - Novembre 2013